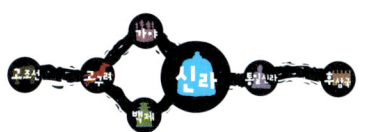

비형
도깨비의 세계를 다스리다

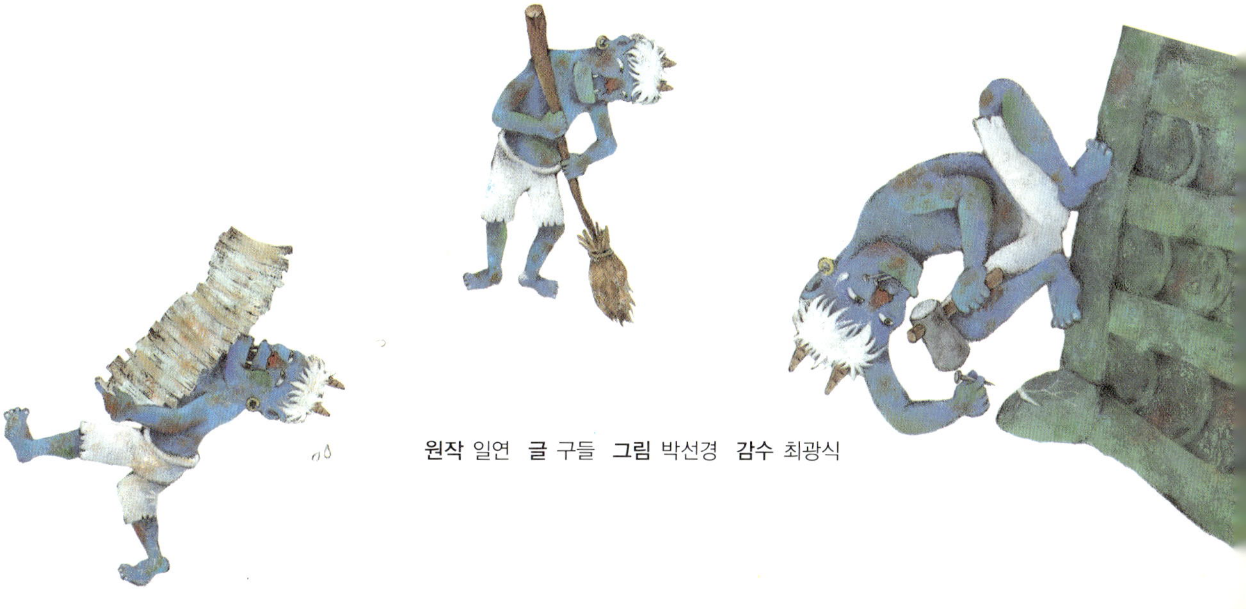

원작 일연 글 구들 그림 박선경 감수 최광식

진지왕은 나랏일에 도무지 흥미가 없었어요.
관심 있는 것은 오로지 놀이와 술, 여자뿐이었지요.
당시 신라에는 복사꽃처럼 아름답고 고운
도화녀라는 여인이 살았어요.
도화녀는 비록 가난했지만
성실한 남편과 행복하게 살고 있었지요.

어느 날 도화녀가 머리에 수건을 두르고 장터로 가고 있었어요.
때마침, 진지왕이 대궐 밖으로 행차를 했어요.
진지왕의 행렬이 다가오자 도화녀도 다른 사람들처럼 머리를 숙였지요.
그런데 진지왕의 행렬이 도화녀 앞을 지나는 순간,
갑자기 바람이 불어 도화녀의 머리를 감싼 수건이 벗겨졌어요.
그러자 도화녀의 고운 얼굴이 드러났지요.
진지왕은 도화녀의 아름다운 모습에
한참 동안 넋을 잃고 도화녀를 바라보았답니다.

대궐로 돌아온 진지왕의 머릿속에는 온통 도화녀에 대한 생각뿐이었어요.

며칠을 고민하던 진지왕은 도화녀를 대궐로 불렀어요.

그러고는 대궐에서 함께 살자고 했지요.

하지만 도화녀는 고개를 저으며 말했어요.

"한 여자가 어찌 두 남편을 섬길 수 있겠습니까?

비록 폐하의 명령이라 해도 제 남편을 두고 그럴 수는 없사옵니다."

진지왕은 화가 났어요.

"그대가 목숨을 잃게 되더라도 마음을 바꾸지 않겠느냐?"

도화녀는 겁내지 않고 당당하게 대답했어요.

"제 목에 칼이 들어올지라도 남편을 두고 다른 남자를 따를 수는 없사옵니다."

진지왕은 도화녀의 뜻을 도저히 꺾을 수 없다는 걸 알았어요.

"그렇다면 나중에 그대의 남편이 세상을 떠난다면 나와 함께 살겠느냐?"

도화녀는 마지못해 고개를 끄덕였어요.

진지왕은 도화녀를 돌려보내 주었어요.

그해에 진지왕은 왕의 자리에서 쫓겨나게 되었어요.
술과 여자에 빠져 있던 진지왕을 신하들이 쫓아낸 거예요.
대궐에서 쫓겨난 진지왕은 이내 세상을 떠났어요.
그로부터 2년 뒤에 도화녀의 남편도 갑자기 세상을 떠나고 말았지요.
어느 날 밤, 도화녀의 앞에 진지왕이 나타났어요.
"그대의 남편이 죽으면 나와 함께 살겠다고 한 약속을 기억하느냐?
이제 그대의 남편이 죽었으니 나를 받아 주겠는가?"
진지왕의 물음에 도화녀는 어쩔 수 없이 고개를 끄덕였어요.
그날부터 진지왕은 도화녀와 함께 살았어요.
그런데 어느 날 갑자기 진지왕이 사라졌고, 다시는 돌아오지 않았답니다.
그 후 도화녀는 뱃속에 아이를 갖게 되었어요.
도화녀는 열 달 후에 아이를 낳고, 아이의 이름을
비형이라고 지었어요.
도화녀가 이미 세상을 떠난 진지왕의 아이를 낳았다는 소문은
순식간에 신라 곳곳으로 퍼졌어요.

소문은 퍼지고 퍼져 대궐 안까지 들어갔어요.

진지왕의 뒤를 이은 진평왕도 비형에 대한 이야기를 들었어요.

"참 신기한 일이오. 죽은 사람이 산 사람을 찾아와 함께 살고

게다가 아이까지 낳다니! 이 일이 사실이라면

비형이라는 아이는 신라의 왕족이니 저대로 대궐 밖에 두어서는 안 될 것 같소."

진평왕의 말에 신하들은 강하게 반대했어요.

"폐하, 그것은 말도 안 되는 일입니다.

어찌 죽은 자가 산 자를 찾아와 아이를 낳겠습니까?

그것은 그저 헛소문일 뿐입니다."

하지만 진평왕은 비형을 대궐 밖에 내버려 두는 것은

진지왕에 대한 예의가 아니라고 생각했어요.

그래서 비형을 대궐로 불러들였지요.

진평왕은 비형을 정성껏 보살피고,

비형이 열다섯 살이 되던 해에는 집사라는 벼슬도 내렸어요.

그런데 언젠가부터 대궐 안에 이상한 소문이 떠돌았어요.
"그러니까 비형이 밤마다 어디론가 나간다는 거야? 도대체 어딜 가는 걸까?"
"글쎄 그걸 모르겠다니까!
아무튼 늘 혼자 어디론가 사라졌다가는 새벽녘에야 들어온다잖아."
대궐 안 사람들은 모이기만 하면 이렇게 수군거렸지요.
결국 진평왕도 그 소문을 들었어요.

"비형이 하는 짓이 수상하다고 하는데,
대체 무얼 하고 다니는지 아는 사람이 없느냐?"
하지만 신하들도 비형이 어디를 가는지 아무도 몰랐어요.
진평왕은 답답했어요.
"내가 군사 50명을 줄 테니 오늘 밤부터 비형을 몰래 감시하라.
행여 이상한 낌새가 보이거든 즉각 나에게 알리도록 하라!"

그날 밤, 군사들은 몰래 숨어서
비형의 방을 지켜보고 있었어요.
"폐하의 명령이니 정신 바짝 차리자고."
밤이 깊어지자 비형은
밖으로 나와 담장을 훌쩍 넘었어요.
군사들이 뒤를 바짝 쫓았지만
비형이 워낙 빨라 따라잡기가 쉽지 않았어요.
한참을 달린 비형은 황천이라는 시내가 있는 언덕에서 멈추었어요.
군사들은 숲 속에 몸을 숨기고 비형을 지켜보았지요.

비형은 조심스럽게 주위를 둘러보더니
작은 목소리로 누군가를 불렀어요.
"모두들 이리 나오게. 내가 왔어."
비형의 말이 떨어지자 여기저기서
검은 그림자들이 나타났어요.
검은 그림자의 정체는 바로 도깨비였어요.
파란 얼굴에 하얀 이빨을 드러내고 웃는 도깨비,
아기 도깨비, 어른 도깨비,
온갖 도깨비들이 모여들었지요.

군사들은 도저히 믿을 수가 없었어요.
눈을 비비고 다시 봐도 도깨비가 틀림없었지요.
"저건 말로만 듣던 도깨비잖아.
그러면 비형이 이제껏 도깨비하고 놀았던 거야?"
군사들은 너무 놀라 입을 다물지 못했어요.
비형과 도깨비들은 둘러앉아 술을 마시기 시작했지요.
"친구들, 춤이라도 좀 춰 보게나.
이렇게 심심해서야 자네들을 만나러 온 보람이 없지 않은가?"
그러자 도깨비들은 비형 앞에서 춤을 추었어요.
그 모습을 보며 비형은 무척 즐거워했지요.
한참 춤을 추던 도깨비가 비형에게 말했어요.
"자네는 우리 도깨비들을 정말 친구로 생각하는 거요?"
비형이 고개를 끄덕이며 말했어요.
"나는 그대들과 이렇게 어울려 노는 것이 즐겁소.
그것 말고 더 중요한 것이 무엇이 있겠소?"
동이 틀 무렵, 도깨비들은 비형에게 인사하고 뿔뿔이 흩어졌어요.
"어이, 도깨비 친구들! 내일 또 보세."

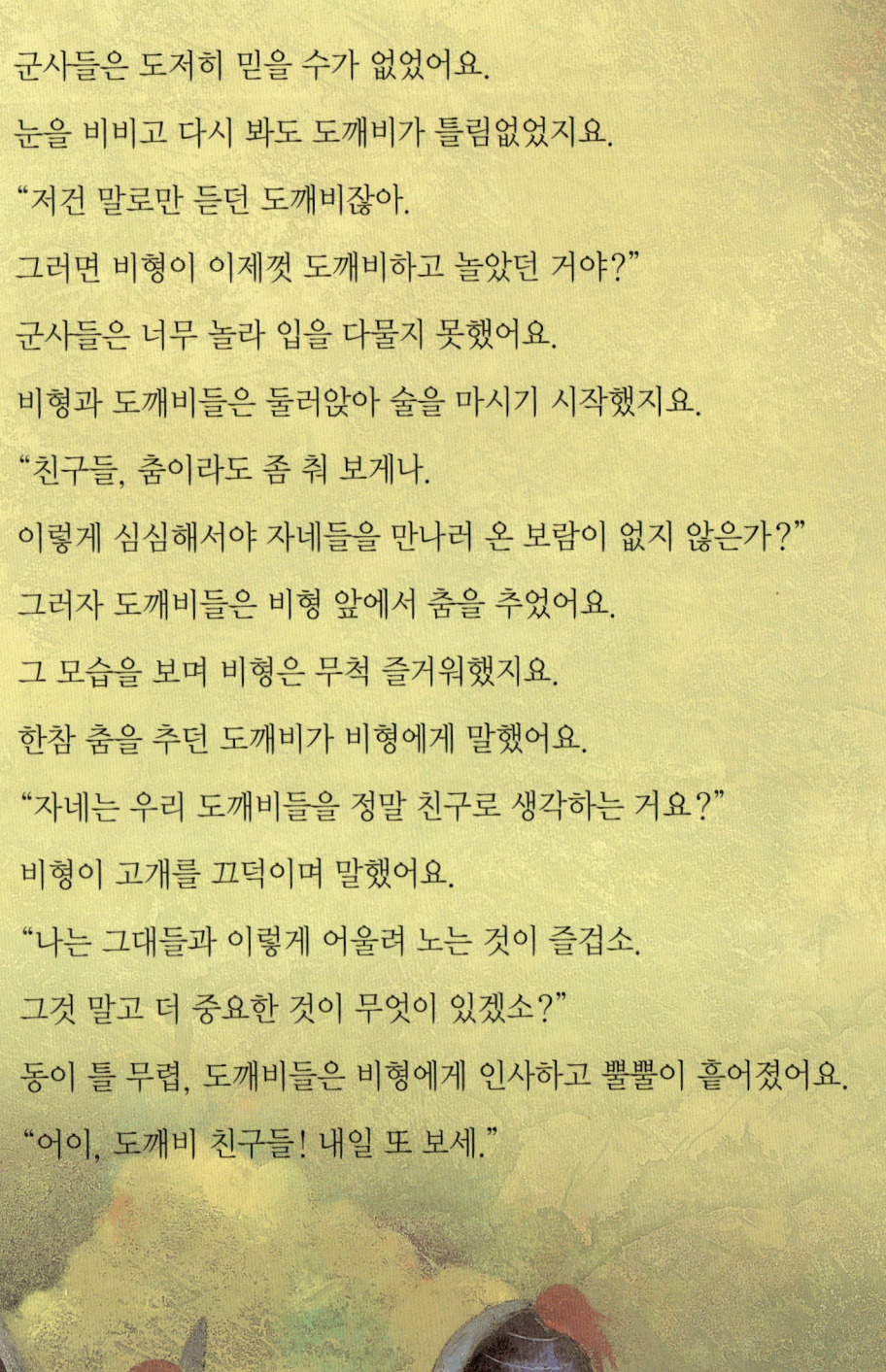

군사들은 자신들이 본 것을 진평왕에게 이야기했어요.
진평왕은 믿을 수가 없었지요. 그래서 비형을 불러 물어 보았어요.
"듣자 하니, 네가 밤마다 도깨비들과 어울려 논다는구나. 그 말이 사실이냐?"
비형은 당황하는 기색 없이 태연하게 대답했어요.
"예, 그러하옵니다."
"도깨비들이 네 말을 잘 듣는다 하던데, 그것도 사실이냐?"
비형은 고개를 끄덕였어요.
진평왕은 잠시 생각에 잠겼다가 다시 말했어요.
"그렇다면 도깨비들을 시켜 신원사 북쪽 냇가에
다리를 놓도록 하여라. 가능하겠느냐?"

"폐하께서 시키시는 일이라면 그렇게 하겠사옵니다."
비형은 그날 밤, 도깨비들을 찾아가 진평왕의 말을 전했어요.
도깨비들은 한쪽에 모여 잠시 의논한 후, 눈 깜짝할 사이에
신원사 냇가에 돌다리를 만들었지요.
"자, 이제 되었습니까?"
비형은 만족한 듯 미소를 지었어요.

다음 날, 날이 밝자 비형은 진평왕을 찾아갔어요.
"신원사 북쪽 냇가에 다리가 완성되었으니 가서 보시지요."
"아니, 벌써 다리가 완성되었단 말이냐?"
진평왕은 비형을 따라 신원사 북쪽으로 갔어요.
신기하게도 거기에는 어제까지 없던 돌다리가 세워져 있었지요.
하룻밤 사이에 만들어진 돌다리를 보고 진평왕은 놀라움을 금치 못했어요.
"허허허, 참으로 훌륭하구나.
이렇게 훌륭한 다리를 본 적이 없다. 지금부터 이 다리를 귀교라 부르겠노라."
진평왕은 며칠 후 다시 비형을 불렀어요.
"너와 친한 도깨비들이 내 곁에 있으면 많은 도움이 될 듯한데,
나를 도와줄 만한 도깨비가 없겠느냐? 있으면 추천해 보아라."
비형은 골똘히 생각하더니 입을 열었어요.
"길달이라는 도깨비가 있사온데,
힘이 좋은 데다 지혜로워 폐하의 일을 잘 도울 것입니다."
"그래? 그렇다면 내일 당장 길달을 대궐로 데리고 오너라."

다음 날, 길달은 비형과 함께 대궐로 왔어요.

대궐 사람들은 호기심이 가득한 눈으로 길달을 보았지요.

진평왕이 길달에게 물었어요.

"그대는 나를 위해 일해 줄 수 있겠는가?"

길달은 눈을 끔뻑이다가 고개를 끄덕였어요.

"저는 도깨비인지라 사람의 일은 잘 모르오나,
무슨 일이든 시키시면 제 능력이 되는 한 열심히 하겠습니다."

길달의 말을 들은 진평왕은 무척 만족스러워했어요.

그날부터 길달은 부지런히 진평왕을 도와 일을 했어요.

대궐 도서관을 청소하기도 하고, 부서진 대궐 처마도 금세 원래 모습대로 돌려놓았지요.

진평왕은 점점 길달을 믿고 아끼게 되었답니다.

시간이 흘러 길달도 사람이 사는 세계에 조금씩 익숙해졌어요.
하지만 길달은 점점 시무룩해졌어요. 그런 길달을 보고 비형이 물었어요.
"길달, 무슨 일 있소? 요즘은 그대의 표정이 좋지 않구려."
길달은 슬픈 얼굴로 비형을 보았어요.
"이제는 나의 친구들이 그립소. 집에도 가고 싶고……. 날 보내 주면 안 되겠소?"
하지만 비형은 길달에게 냉정하게 말했어요.
"그대는 이미 대궐에 들어왔으니 마음대로 갈 수 없소.
그대는 폐하께 충성을 맹세하지 않았소?"
이야기를 들은 진평왕은 길달에게 가족을 만들어 줘야겠다고 생각했어요.
그래서 신하들 중에 자식이 없는 임종을 불러 말했지요.
"임종, 그대에게는 아직 자식이 없다고 들었소.
길달을 데려가 아들로 삼으면 어떻겠소?
길달은 본디 도깨비이지만 심성이 착하고 앞으로 나라의 큰 재목이 될 것이니
친아들처럼 생각하며 보살펴 주시오."

임종은 길달을 집으로 데려왔어요.
길달은 대궐로 들어온 날부터 지금까지
많은 일을 해서 몹시 지쳤지요.
그러던 어느 날, 비형이 길달을 불렀어요.
"흥륜사 남쪽 문이 다 헐었는데
그 문을 다시 세울 수 있겠소?"
길달은 얼굴을 찡그렸어요.
"난 이제 지쳤소.
흥륜사의 문만 세우면 여기를 떠나게 해 주시오."
하지만 비형은 대답을 하지 않았어요.

길달은 그날 밤 흥륜사 문을 새로 지어 놓고 비형을 찾아왔어요.
"이제 돌아가도 되겠소?"
하지만 비형은 고개를 저었어요.
"아무래도 안 되겠소.
도깨비로 살던 때는 잊고 사람으로 살아 보시오."
길달은 슬퍼졌어요.

길달은 매일 밤 지붕 위에서 잠을 잤어요.
방 안에 있으면 갇혀 있는 것 같아 마음이 편하지 않았거든요.
길달은 도깨비로 살던 때가 그리웠어요.
하지만 비형이 허락하지 않으니 마음대로 떠날 수도 없었지요.
비형의 눈을 피해 도망가려고 하면 어떻게 알았는지 비형이 나타나 길달을 가로막았어요.
"이대로는 안 되겠어."
길달은 여우로 변신해서 산으로 도망갔어요.
날이 밝자 비형은 길달이 도망친 것을 알고 크게 화를 냈어요.
"괘씸한 것 같으니라고. 그리 일렀건만 도망을 갔단 말인가!"
비형은 도깨비들을 찾아갔어요.

비형이 부르는 소리에 도깨비들이 모였어요.
"너희들이 길달을 숨기고 있다는 걸 안다.
어서 길달을 내놓아라!"
하지만 도깨비들도 길달이 어디로 갔는지 몰랐어요.
"어서 길달을 찾아오너라!"
도깨비들은 혼비백산해서는 길달을 찾아 나섰지요.

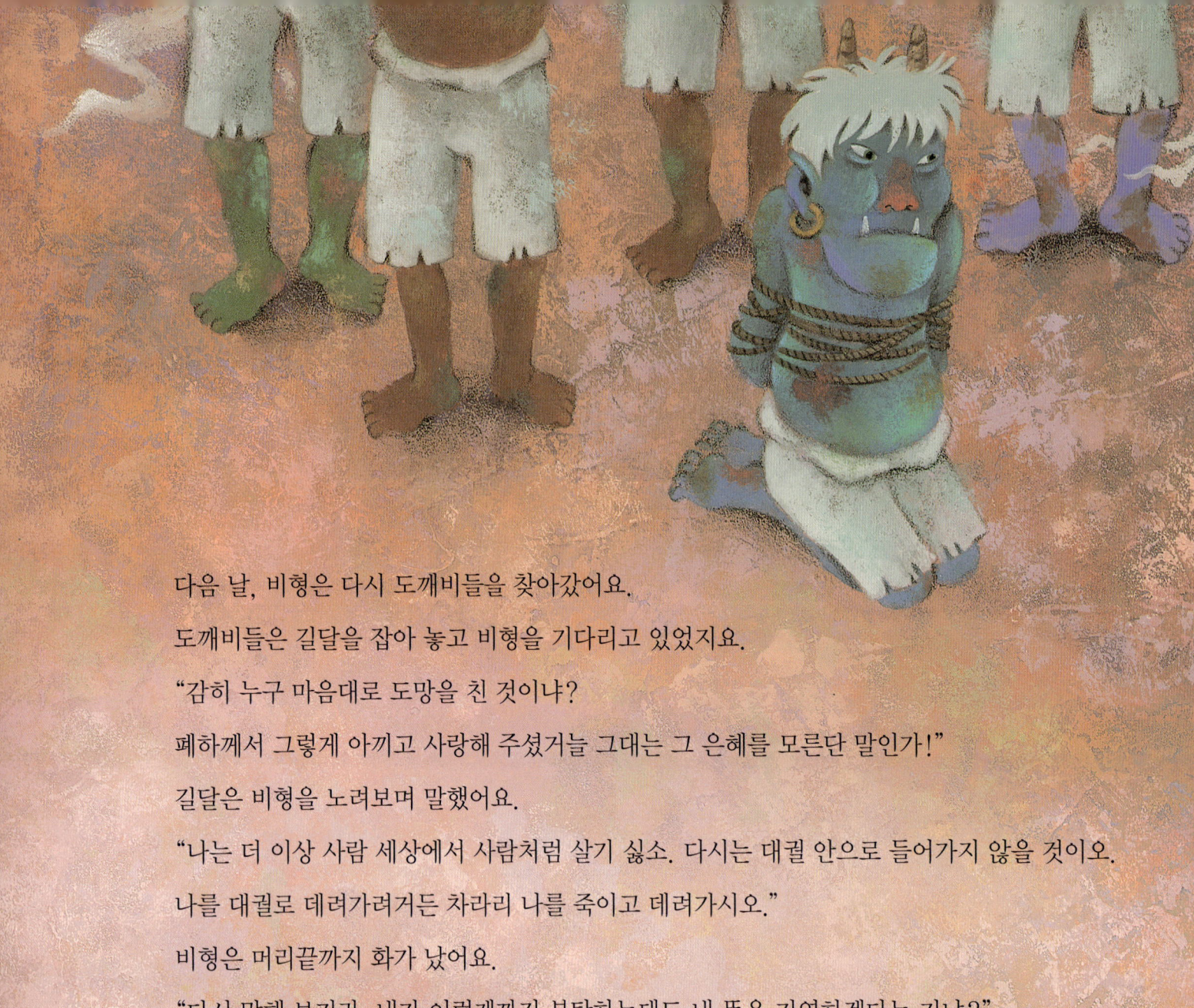

다음 날, 비형은 다시 도깨비들을 찾아갔어요.

도깨비들은 길달을 잡아 놓고 비형을 기다리고 있었지요.

"감히 누구 마음대로 도망을 친 것이냐?

폐하께서 그렇게 아끼고 사랑해 주셨거늘 그대는 그 은혜를 모른단 말인가!"

길달은 비형을 노려보며 말했어요.

"나는 더 이상 사람 세상에서 사람처럼 살기 싫소. 다시는 대궐 안으로 들어가지 않을 것이오.

나를 대궐로 데려가려거든 차라리 나를 죽이고 데려가시오."

비형은 머리끝까지 화가 났어요.

"다시 말해 보거라. 내가 이렇게까지 부탁하는데도 내 뜻을 거역하겠다는 거냐?"

길달은 끝내 자신의 뜻을 굽히지 않았어요.

그러자 비형은 다른 도깨비들 앞에서 길달을 없애 버리고 말았어요.

길달의 죽음을 본 다른 도깨비들은 뒷걸음질치며 도망갔어요.

"비형은 아주 무서운 사람이야. 비형이 우리 친구를 죽였어! 다시는 비형을 안 볼 테야."

그 뒤로 비형은 도깨비들을 다시는 볼 수 없었어요.

그때부터 신라 사람들은 귀신을 쫓을 때 비형의 이름을 넣어 노래를 불렀어요.

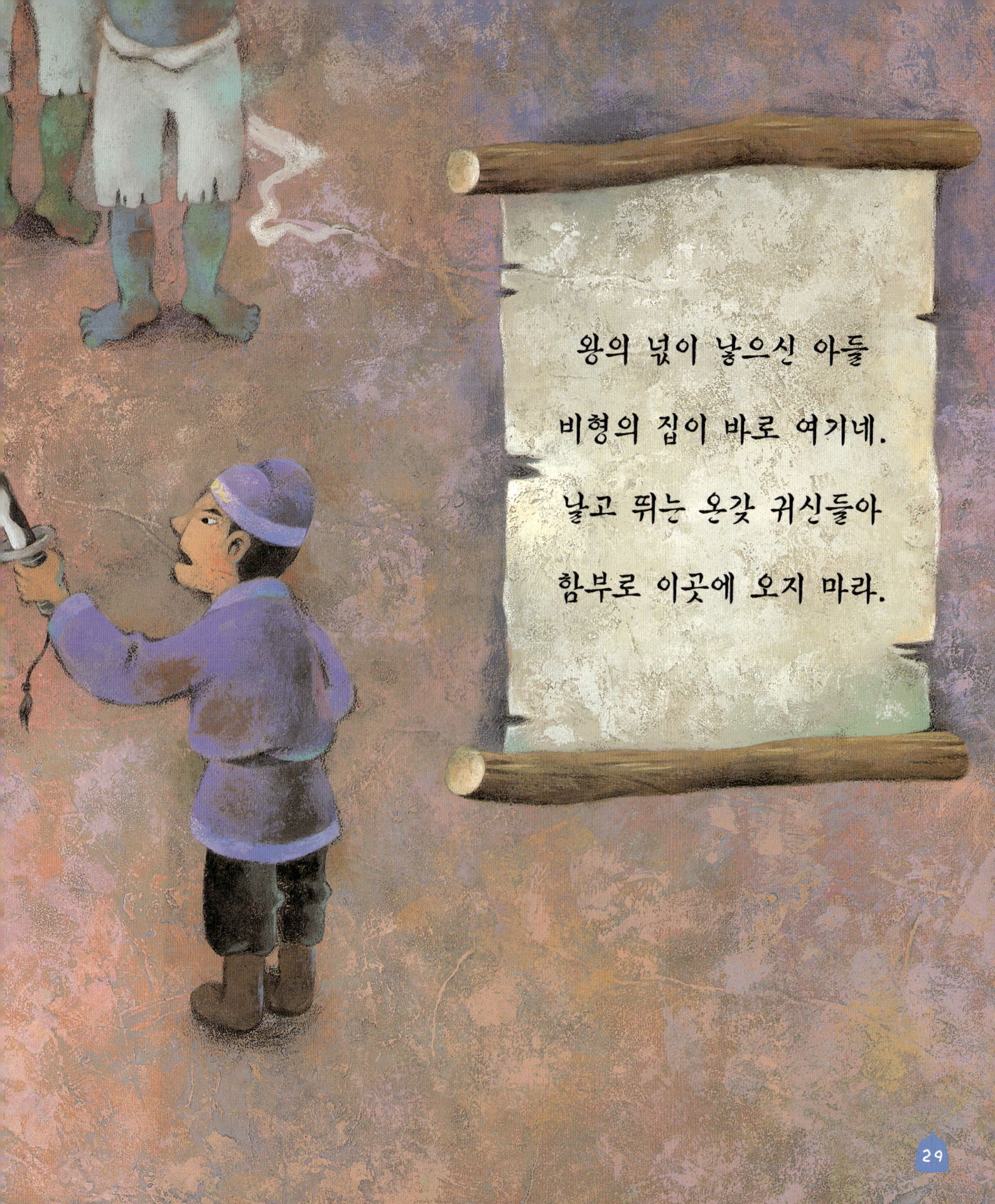

왕의 넋이 낳으신 아들
비형의 집이 바로 여기네.
날고 뛰는 온갖 귀신들아
함부로 이곳에 오지 마라.

도깨비와 어울려 논

비형

> 「도깨비와 어울려 논 비형의 설화는 우리나라 최초의 도깨비 이야기예요」

우리나라 문헌에 나타나는 최초의 도깨비 이야기는 《삼국유사》에 실려 있는 〈도화녀 비형랑〉 이야기입니다. 도화녀라는 여인이 죽은 진지왕의 영혼과 사랑을 하여 낳은 비형이 도깨비들과 어울려 놀았다는 내용이지요. 우리 민족은 예로부터 자연만물에 영혼이 깃들어 있다고 믿었습니다. 산, 강, 나무, 풀, 꽃은 물론이고 흔히 무생물로 알려진 빗자루나 잡다한 생활용품들도 오랜 세월 동안 사람과 가깝게 있으면 혼을 얻어 도깨비가 된다고 믿었지요. 그러니까 도깨비는 세상 모든 것에 영혼이 있다고 믿는 우리 민족의 신앙이 낳은 독특한 존재인 셈입니다. 사람과 가까이 지낸 물건이 변해 도깨비가 되었으니 당연히 그들은 인간을 해치지 않습니다. 물론 심술을 부리기도 하고 장난을 치기도 하지만 사람을 죽이는 일은 없습니다. 인정이 많아 자기에게 조금이라도 친절하게 대해 주면 큰 부자로 만들어 주기도 하고요. 그래서 우리 선조들은 도깨비를 괴물로만 보지 않고 '자연에서 온 친구'로 여겼다고 해요. 따라서 비형이 도깨비들과 친하게 지냈다는 것은 그만큼 자연을 이해하는 마음이 넓었다는 뜻이 됩니다. 사이가 좋던 도깨비와 비형의 사이는 비형이 도깨비 길달을 죽이면서 멀어지게 됩니다. 이것은 인간이 자연을 파괴하고 자연과 멀어지게 되었다는 뜻이기도 해요. 비형 이야기는 인간과 자연의 관계에 대해 다시 한 번 깊이 생각하게 해 주고, 만물에 영혼이 있다고 믿을 만큼 자연을 소중히 생각했던 조상들의 마음을 우리에게 알려 주고 있습니다.

 기원전 57년
신라 건국

 512년
우산국 정복

532년
금관가야 정복

 576년
진지왕
신라 제25대 왕 즉위

 579년
진평왕
신라 제26대 왕 즉위

 621년
당나라와 외교 맺음

비형과 관련 있는 인물들

진지왕 : 신라 제25대 왕

진흥왕의 둘째 아들로, 왕위에 있었던 기간은 576~579년입니다. 신라를 자주 공격하는 백제를 막기 위해 내리서성을 쌓아 대비를 철저히 하였습니다. 그러나 왕위에 오른 지 4년 만에 정치를 어지럽힌다는 이유로 화백회의 결정에 따라 왕위에서 물러나게 되었습니다.

알고 싶은 요모조모

우리의 '도깨비'와 일본의 '오니'

도깨비라고 하면 우리는 머리에 뿔이 한두 개 달리고 짐승 가죽옷을 입고 털이 숭숭 난 다리를 드러낸 채 요술방망이를 든 모습을 떠올립니다. 그런데 이것은 우리나라 도깨비가 아니라 일본 도깨비 '오니'랍니다. 우리 도깨비의 모습은 정확한 기록이 남아 있지 않아요. 덩치가 컸다고도 하고 작았다고도 하고, 뿔은 없거나 혹은 나이가 많으면 뿔의 수가 많았다고도 해요. 이렇게 우리나라 도깨비의 모습이 분명하지 않은 것은 도깨비는 언제든 모습을 바꿀 수 있는 신령한 존재로 보았기 때문이에요. 그러니 도깨비를 하나의 모습으로 그리기가 쉽지 않았지요. 그러던 중에 일본인들이 우리나라 교과서에 일본 도깨비 '오니' 그림을 넣는 바람에 '오니'의 모습이 우리나라 도깨비 모습인 것처럼 알려지게 된 것이랍니다.

660년	668년	676년	751년	828년	888년	935년
백제 정복	고구려 정복	삼국 통일 통일 신라 시대 시작	불국사 창건	청해진 설치	향가집 《삼대목》 편찬	신라 멸망

궁금증을 풀어 주는 # 미로여행

Q1 어떻게 죽은 사람의 **영혼**이 산 사람과 결혼할 수 있나요?

Q2 비형이 정말로 **도깨비**를 부릴 수 있었나요?

Q3 도깨비들이 하룻밤 사이에 **다리**를 놓았다는 것이 사실일까요?

Q4 도깨비는 어떤 뜻일까요?

실제로 죽은 진지왕과 도화녀가 만나 아이를 낳았을 수는 없겠지요. 그래서 사람들은 도화녀의 남편이 죽은 후 진지왕과 도화녀가 몰래 만나 **사랑**을 한 것으로 추측하기도 한답니다.

사람이 도깨비를 부릴 수는 없지요. 학자들은 왕족인 **비형을 따르던 사람들**을 도깨비로 표현한 것이 아닐까 생각해요. 그러니까 도깨비는 상징적인 의미를 가지는 것이지요. 실제로는 비형을 따르던 사람들이 비형을 도와 다리도 놓고 건물들도 수리했다고 보는 것이 맞을 거예요.

놀랍도록 **빨리** 공사를 마친 것이 하룻밤 사이에 다리를 놓았다는 식으로 표현되었을 것이라고 본답니다.

학자들은 도깨비의 어원을 '**돗가비**'로 보고 있어요. 여기서 '돗'은 '불'이나 '씨앗'을 상징하고 '가비'는 '아비' 즉 성인 남자를 뜻한다고 해요. 도깨비의 이름은 시대와 장소에 따라 도채비, 돗가비, 독갑이, 독각귀, 또개비, 토째비 등 여러 가지가 있었답니다.